About the Author

Itzel Luna is a mother of two girls, Frida and Oli and she dedicates this book to them.

She likes to write, meditate, is a practitioner of raja yoga,Iyanifa and with this book, a two-time author.

She wanted to write this book in memory of Ogunbiyi, her partner, mentor and spiritual guide. He was truly a healer, someone that was always connected with his true essence.

She has a special message she wants to share with all of you...

I hope that by reading this story you come to realize how special you truly are.

Rare are the souls that fully want you to thrive. If you find one, keep it close to your heart and soul, and listen.

If you ever feel lost, I ask you to come back to this book.

Ms. Luna can be reached by email at
itzel0508@hotmail.com

Sobre la Autora

Itzel Luna es madre de dos niñas, Frida y Oli y les dedica este libro a ellas.

Le gusta escribir, meditar, es practicante de raja yoga y Iyanifa, y con este libro dos veces autora.

Ella quiso escribir este libro en memoria de Ogunbiyi, su pareja, mentor y guía espiritual. El era un gran curandero, alguien que siempre estaba conectado con su verdadera esencia.

Ella tiene un mensaje especial que le gustaría compartir con todos ustedes...

Espero que al leer esta historia tu te des cuenta lo especial que realmente eres.

Raras son las almas que te quieren ver prosperar completamente, si encuentras una mantenla cerca de tu alma y corazón y escucha.

Si alguna vez te sientes perdida/o te pido que regreses a este libro.

ISBN-13: 1-978-17332638-5-6
ISBN-10: 1-7332638-5-3

RoseGoldPublishingLLC.com

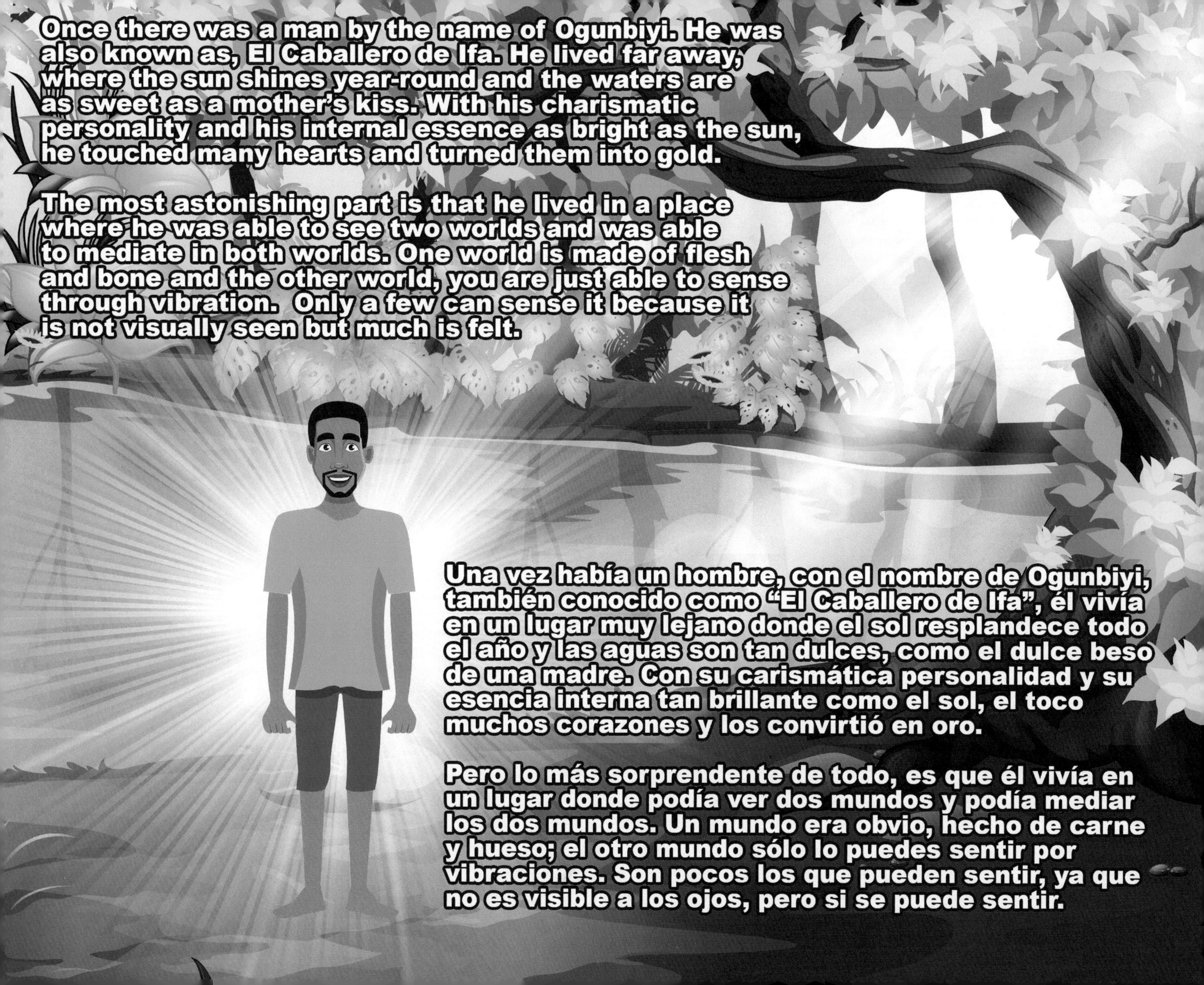

Once there was a man by the name of Ogunbiyi. He was also known as, El Caballero de Ifa. He lived far away, where the sun shines year-round and the waters are as sweet as a mother's kiss. With his charismatic personality and his internal essence as bright as the sun, he touched many hearts and turned them into gold.

The most astonishing part is that he lived in a place where he was able to see two worlds and was able to mediate in both worlds. One world is made of flesh and bone and the other world, you are just able to sense through vibration. Only a few can sense it because it is not visually seen but much is felt.

Una vez había un hombre, con el nombre de Ogunbiyi, también conocido como "El Caballero de Ifa", él vivía en un lugar muy lejano donde el sol resplandece todo el año y las aguas son tan dulces, como el dulce beso de una madre. Con su carismática personalidad y su esencia interna tan brillante como el sol, el toco muchos corazones y los convirtió en oro.

Pero lo más sorprendente de todo, es que él vivía en un lugar donde podía ver dos mundos y podía mediar los dos mundos. Un mundo era obvio, hecho de carne y hueso; el otro mundo sólo lo puedes sentir por vibraciones. Son pocos los que pueden sentir, ya que no es visible a los ojos, pero si se puede sentir.

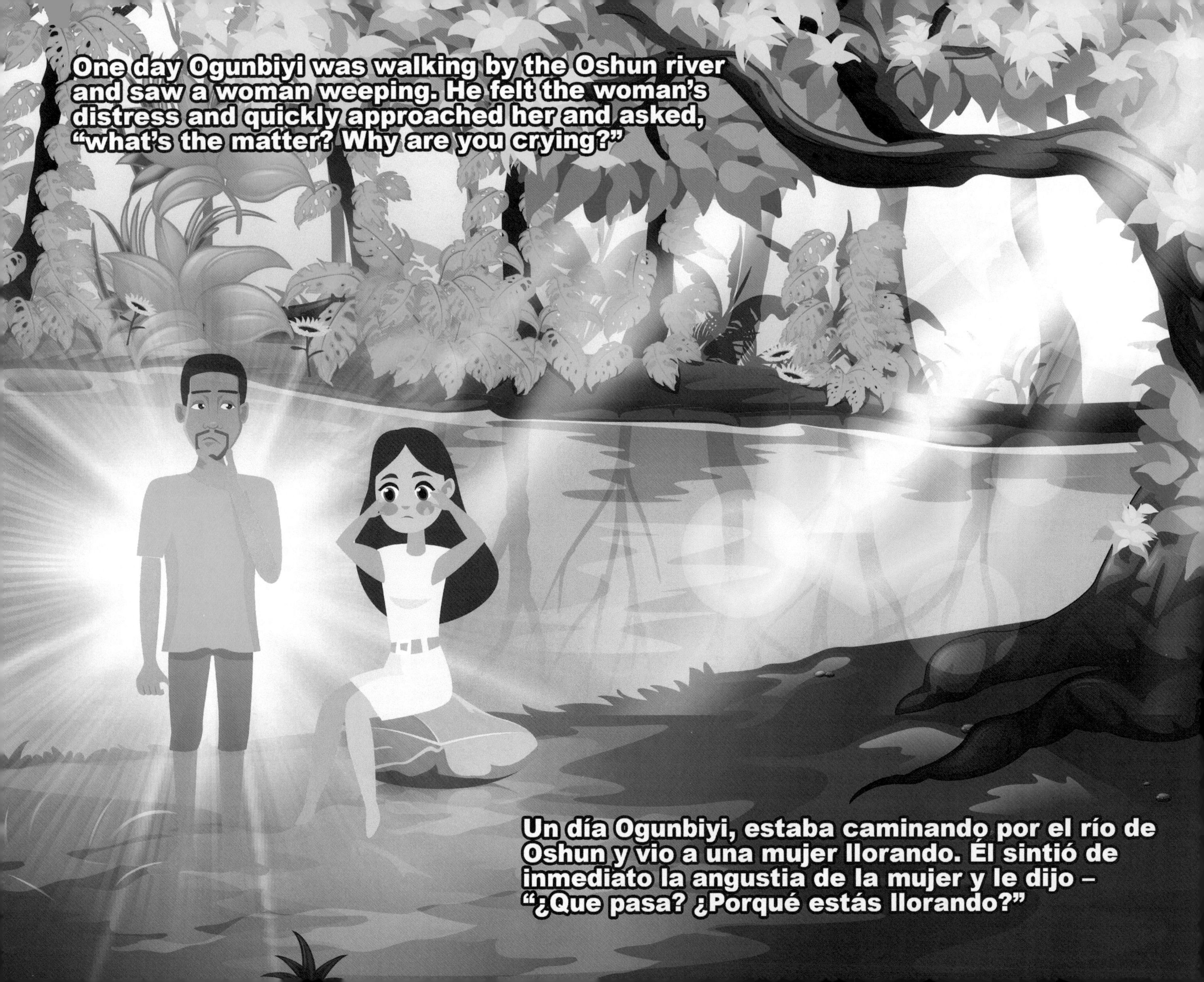

One day Ogunbiyi was walking by the Oshun river and saw a woman weeping. He felt the woman's distress and quickly approached her and asked, "what's the matter? Why are you crying?"

Un día Ogunbiyi, estaba caminando por el río de Oshun y vio a una mujer llorando. Él sintió de inmediato la angustia de la mujer y le dijo – "¿Que pasa? ¿Porqué estás llorando?"

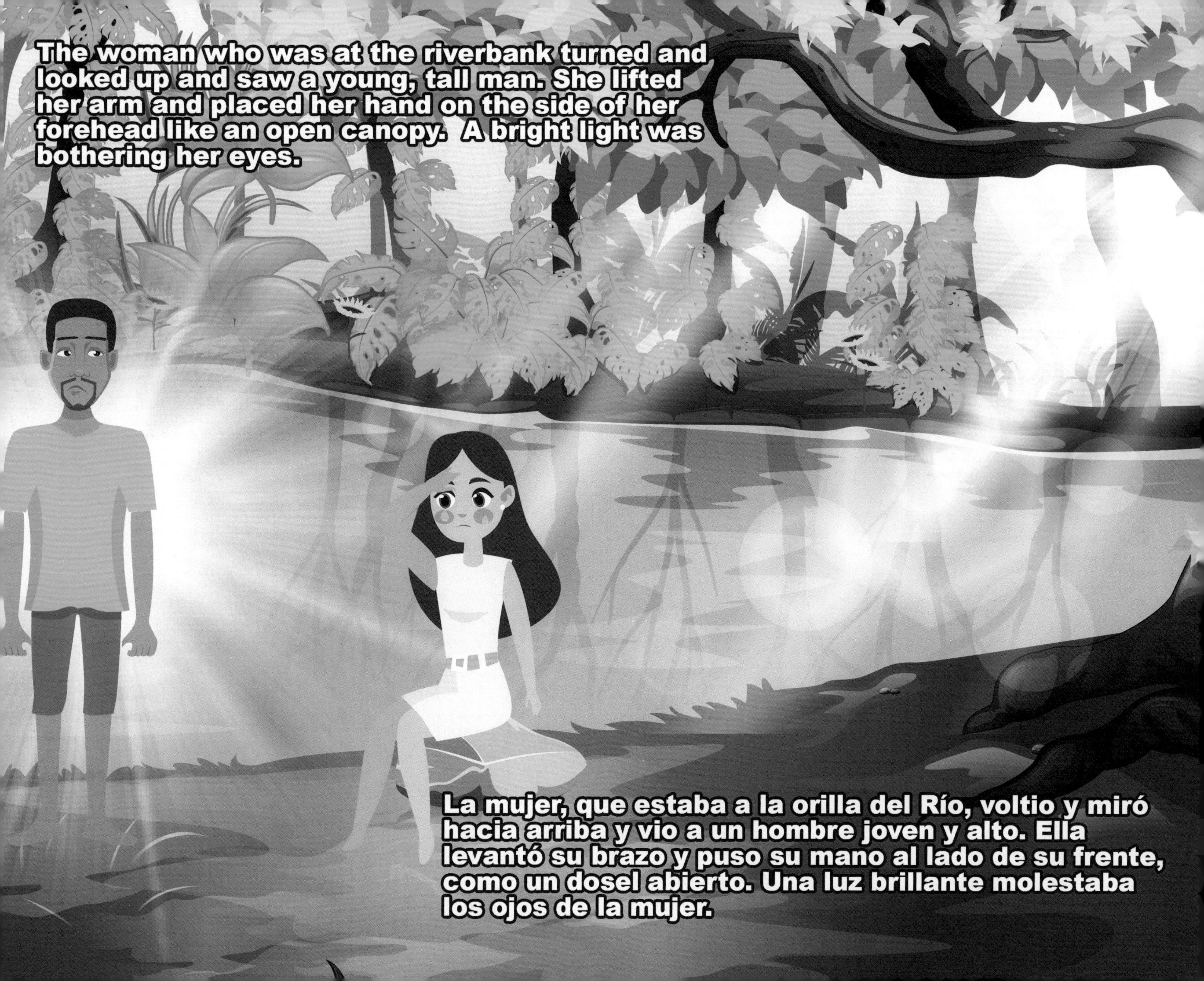
The woman who was at the riverbank turned and looked up and saw a young, tall man. She lifted her arm and placed her hand on the side of her forehead like an open canopy. A bright light was bothering her eyes.
La mujer, que estaba a la orilla del Río, voltio y miró hacia arriba y vio a un hombre joven y alto. Ella levantó su brazo y puso su mano al lado de su frente, como un dosel abierto. Una luz brillante molestaba los ojos de la mujer.

She couldn't really see Ogunbiyi that well but saw something in his eyes. She noticed that his eyes were so bright and shiny. They had a special shimmer that was pouring out from them.

Ella no podía ver muy bien a Ogunbiyi, pero vio algo dentro de sus ojos, ella notó que sus ojos eran brillantes y resplandecientes, tenían un brillo especial que escurría de ellos.

The woman, wiping her tears from her cheeks said, "I'm lost, I don't know where to go. I feel like I'm walking without thinking and my mind is like a wild horse; it never stops running". Ogunbiyi was able to sense the uncertainty and sadness of the woman and said to her, "You feel lost because you forgot who you truly are." The woman with the brown eyes and olive skin complexion muttered "What are you t alking about? With a smile as white as the full moon, he sat next to her and gently spoke to her.

La mujer limpiando las lágrimas de sus mejillas dijo- "estoy perdida, no se a dónde voy. Camino sin pensar y mi mente es como un caballo salvaje que nunca para de correr." Ogunbiyi pudo presentir la incertidumbre y tristeza de la mujer y le dijo –"Te sientes perdida porque se te olvido quien realmente eres." ¿La mujer de ojos cafés y piel oliva murmuró – "de que estas hablando?" Con una sonrisa tan blanca como la luna llena, el se sentó junto a ella y le dijo...

You came to earth for a reason and you have been in this circle of life's ups and downs. Life is a precious gift and yes you are a woman! You have brown eyes, yes! You are made out of flesh and bone, yes! But that's not who you truly are. You can be short, or you could be tall, it doesn't matter because your body is the one that changes. Your body is the one that enjoys the pleasures of life.

Tú viniste a la tierra por una razón y tú has estado en este ciclo de la vida con sus altas y bajas. ¡La vida es un regalo hermoso y sí eres una mujer! ¡Tienes ojos cafés, sí! ¡Tú estas hecha de carne y hueso, sí! Pero eso, no es lo que realmente eres. Tú puedes ser bajita o alta, eso no importa porque tu cuerpo es el que cambia. Tu cuerpo es el que disfruta los placeres de la vida.

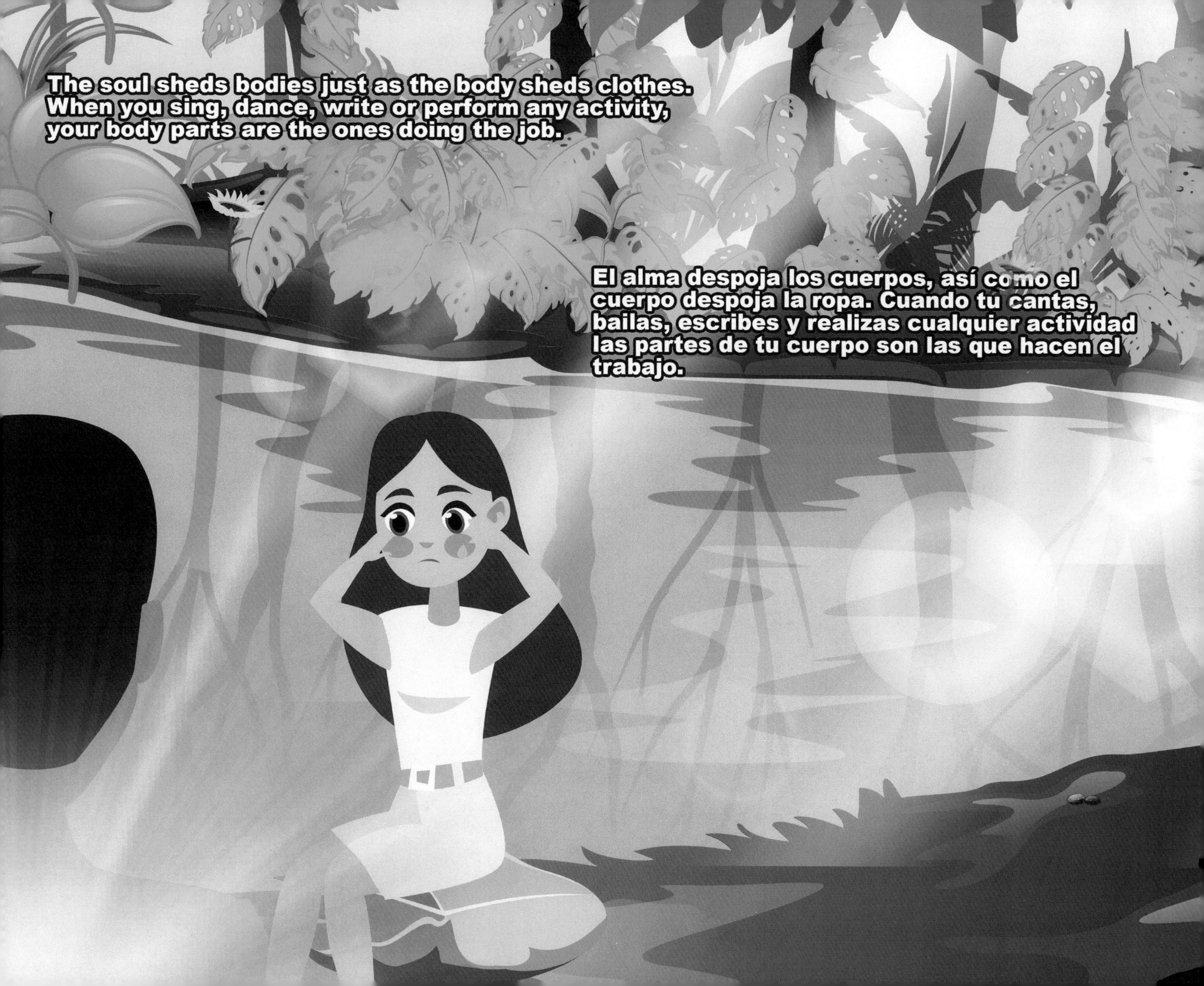

The soul sheds bodies just as the body sheds clothes. When you sing, dance, write or perform any activity, your body parts are the ones doing the job.

El alma despoja los cuerpos, así como el cuerpo despoja la ropa. Cuando tú cantas, bailas, escribes y realizas cualquier actividad las partes de tu cuerpo son las que hacen el trabajo.

You tell your body what to do and it will do it, the body is a precious and delicate gift.
Tú le dices a tu cuerpo que hacer y lo hará, el cuerpo es un hermoso y delicado regalo.

Though you only see the body, your real self is a light and it is so bright that it is called SOUL, your inner essence.
Aunque tu solo vez el cuerpo, tu verdadero “yo” es una luz y es tan brillante que se llama el ALMA, y es tu esencia interior.

A tiny light is sitting in between your two eyebrows. Like the stars living in the sky, you are a living star on planet earth.
Una pequeña luz esta situada en medio de tus dos cejas. Como las estrellas viviendo en el cielo, tú eres una estrella viviente en el planeta tierra.

You just don't remember who you are because you only see your body, your eyes, hair, nose, and ears through your five senses like the five elements on earth: earth, wind, fire, water, and sky.

Tú, nada mas no te acuerdas quien realmente eres, porque solo ves tu cuerpo, ojos, cabello, nariz, orejas, por medio de tus cinco sentidos, como los cinco elementos de la tierra: tierra, viento, fuego, agua y cielo.

The woman looked at Ogunbiyi with amazement because she had never heard that before. The lyrical voice of Ogunbiyi was such a delight to her ears. There was something magical in the air, something that felt just right but also out of this physical realm.

La mujer veía a Ogunbiyi con asombro porque ella nunca había escuchado algo así antes. La voz lírica de Ogunbiyi, era todo un deleite en sus oídos. Había algo mágico en el aire, algo que se sentía perfecto, pero fuera del reino físico.

He said, "remember, you are way more than what you see and sense with your five senses. Just visualize you have a star in between your two eyebrows. There is where your shining star resides and in order to access that star, you need to be able to remember it at all times."
Él dijo, recuerda que tú eres más de lo que ves y percibes con tus cinco sentidos. Sólo visualiza que tienes una estrella en medio de tus dos cejas. Allí, es donde tu estrella brillante radica y para poder tener acceso a la estrella, necesitas recordar tu estrella en todo momento.

When you want to get good at something, you practice and practice until you get it!

If you want to feel the star, you need to practice by remembering who you really are, You have a STAR situated in between your two eyebrows. And did you know that the STAR has all the treasures that make you feel good like peace, happiness, courage, understanding, freedom and most importantly love?

Cuando quieres ser mejor en algo practicas y practicas hasta que lo logras.

Si tu quieres sentir tu estrella, tú necesitas practicar recordando quien realmente eres, tú tienes una ESTRELLA situada entre tus dos cejas. Sabes que la ESTRELLA tiene todos los tesoros que te hacen sentir paz, felicidad, valentía, entendimiento, dicha y sobre todo amor.

You received all of those gifts when you were born and all of those gifts are inside you, the STAR. When you are born, your star is so bright that everyone that sees you wants to hold you, hug you and kiss you. You are creative, you love without limits and you enjoy every moment. But the more you keep growing and start seeing only the body, the star loses a little bit of shine. Each year your star keeps diminishing. You become more afraid of things. You are worried about what others are going to say or if they are even going to like you. Until one day your star drowns completely because of being body conscious. You lose track of your Star and you start seeing yourself and others as a body. See, the star is like a battery, if you don't charge it by remembering it you will not be able to feel the Star anymore.

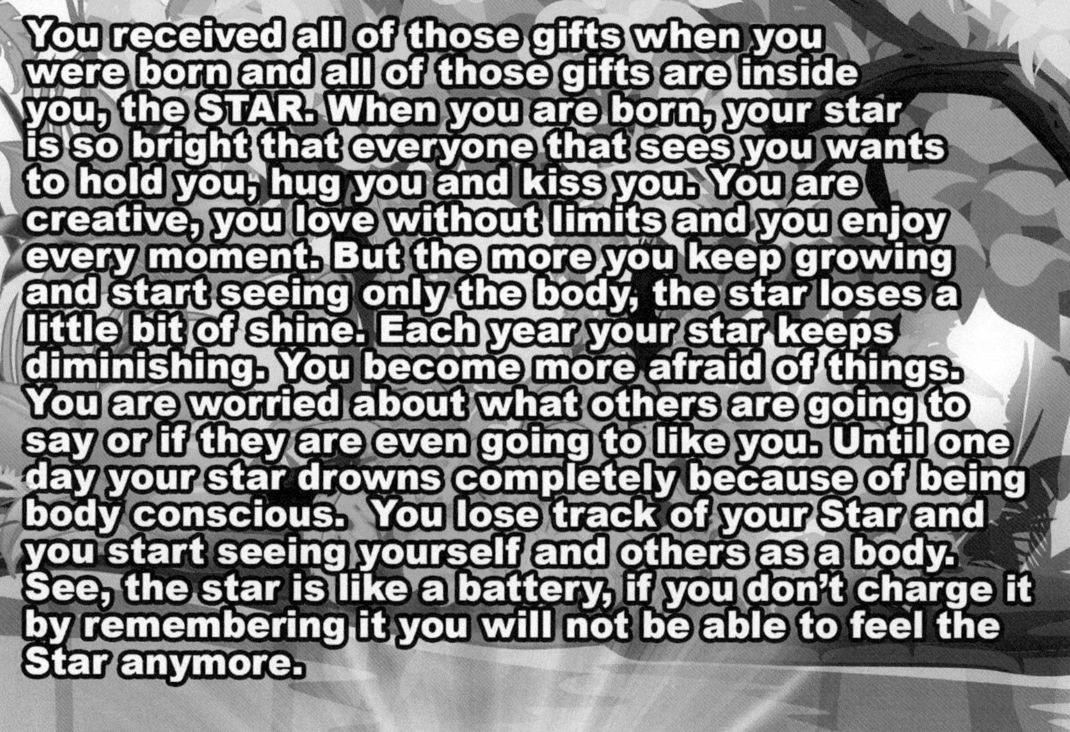

Tú recibiste todos estos regalos cuando naciste, y todos esos regalos están dentro de ti; La ESTRELLA. Cuando tú naces, tú estrella es tan brillante que todos los que te ven quieren cargarte, abrazarte y besarte. Tú eres creativa/o, amas sin limites y disfrutas cada momento. Pero entre más vas creciendo y vas viendo solo el cuerpo físico, la estrella pierde un poco de brillo, cada año tu estrella disminuye. Tú tienes más miedo de hacer cosas, te preocupas de lo que la gente pueda decir o si les va a caer bien. Hasta que un día, tu estrella se ahoga completamente en la conciencia del cuerpo físico, pierdes la pista de tu estrella y sólo te ves a ti y a otros como el cuerpo. Ves, la estrella es como una batería si no la cargas por medio del recuerdo ya no podrás sentir tu estrella.

When you are remembering your shining star, your thoughts become positive and peaceful and you are good to yourself and others. Your thoughts are very powerful because each thought has a vibration that releases either positive or negative vibrations into the atmosphere. Therefore, when you are walking in two worlds, you are walking on earth, seeing through your eyes and walking in the invisible world of your soul.

Cuando tu recuerdas tu estrella brillante, tus pensamientos se vuelven positivos y pacíficos y tú eres buena hacia ti y hacia otros. Tus pensamientos son muy poderosos, porque cada pensamiento tiene su propia vibración que emana, a su vez, vibraciones positivas o negativas a la atmósfera. Por lo tanto, cuando tú estas caminando en dos mundos, estás caminando en la tierra, viendo por medio de tus ojos y también caminando en el invisible mundo del alma.

You need to start walking inside of you and remembering your light and create whatever type of positive thoughts you want. By focusing your mind in yourself, the shining star, you are able to create pure thoughts and those thoughts have their own vibrations. Be conscious of your thoughts, words, and actions. Everything has a vibration that eventually has an effect on you, others and the world.

Necesitas estar caminando dentro de ti, acordándote de tu luz. Creando cualquier tipo de pensamiento positivo que tú quieras. Enfocando tu mente en ti, la estrella brillante, tu puedes crear pensamientos puros y esos pensamientos tienen su propia vibración. Se consciente de tus pensamientos, palabras y acciones, todo tiene una vibración que eventualmente te afecta a ti, a otros y al mundo.

After listening to this, the woman turned around and stared at the Oshun River. Ogunbiyi told her that the water in the river had healing properties from our mothers. They came to this earth and also suffered deeply but never lost their shining star.

Después de haber escuchando esto, la mujer se dio la vuelta y miró fijamente el rio de Oshun. Ogunbiyi le dijo que el agua del rio tenía, propiedades curativas de nuestras madres, que también vinieron a este mundo y sufrieron profundamente, pero nunca perdieron su estrella brillante.

"Drink some of the water and keep remembering who you truly are. You are a one of a kind shining star that is on this earth for a reason. Never give up despite how hard things get."

Toma un poco del agua y sigue recordando quién realmente eres. Tú eres única/o y estás en este mundo por una razón. Nunca te des por vencida/o a pesar de lo difícil que sean las cosas.

The woman saw tiny specks of light floating on top of the water as if someone had poured a giant bucket of glitter. There was magic in that river.

La mujer vio puntitos de luz brillantes flotando en el agua, como si alguien hubiese echado, un gigantesco cubo de brillantina. Había magia en ese río.

As soon as she drank the water, she felt all sorts of emotions but most of all, she felt at peace.
Luego de haber tomado el agua, sintió todo tipo de emociones, pero, sobre todo, ella se sintió con paz.

When the woman turned to thank Ogunbiyi, she noticed he wasn't by her side any longer.

Cuando la mujer dio la vuelta para agradecerle a Ogunbiyi ella noto que él ya no estaba a su lado.

She started looking for him everywhere and shout out, “where are you?” Why can’t I see you anymore? Suddenly she saw a light drifting away through the forest.

Comenzó a buscarlo por todos lados y grito, ¿donde estas? ¿Porque no te puedo ver mas? De repente, vio una luz que se retiraba hacia el bosque.

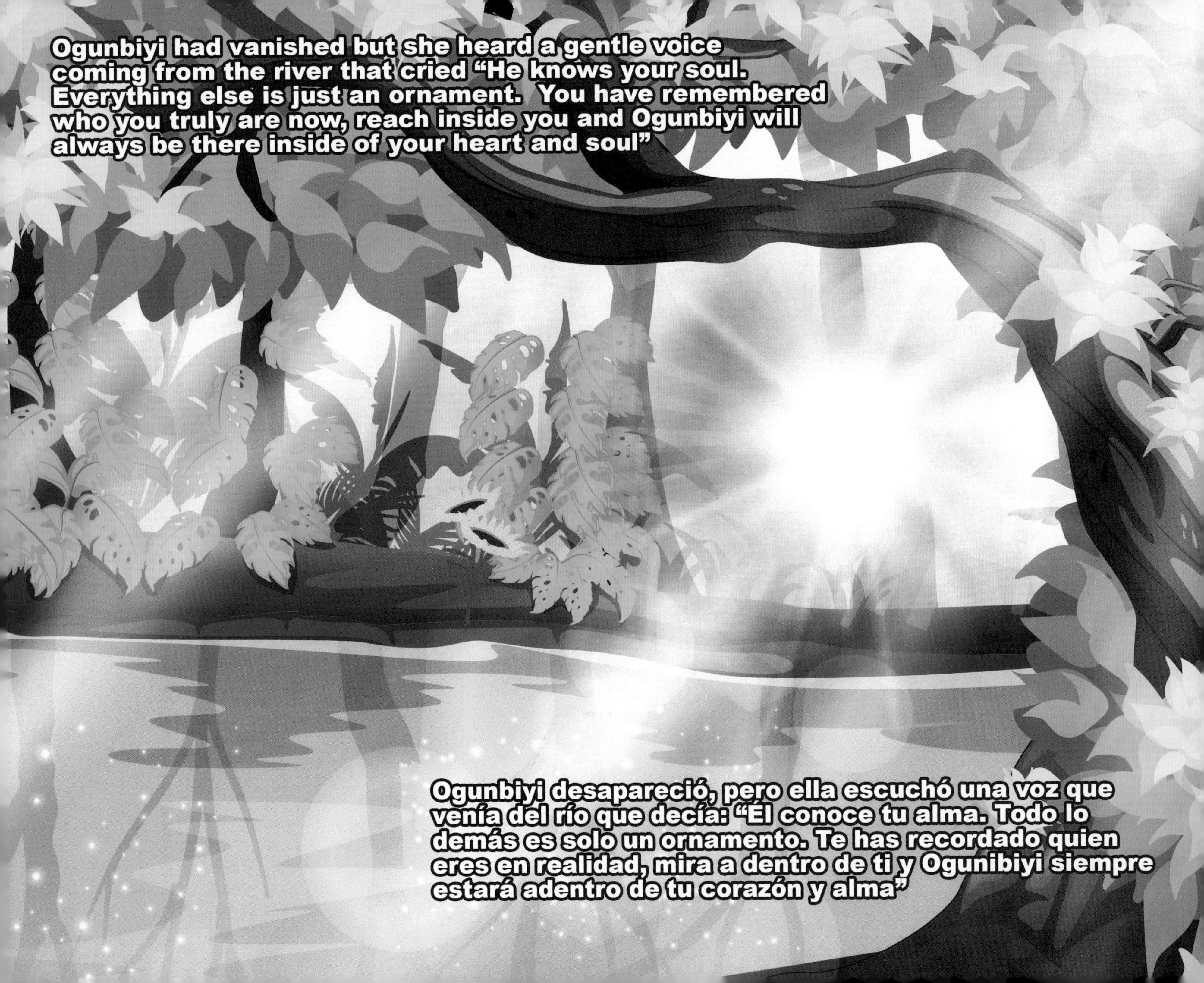

Ogunbiyi had vanished but she heard a gentle voice coming from the river that cried “He knows your soul. Everything else is just an ornament. You have remembered who you truly are now, reach inside you and Ogunbiyi will always be there inside of your heart and soul”

Ogunbiyi desapareció, pero ella escuchó una voz que venía del río que decía: “Él conoce tu alma. Todo lo demás es solo un ornamento. Te has recordado quien eres en realidad, mira a dentro de ti y Ogunibiyi siempre estará adentro de tu corazón y alma”

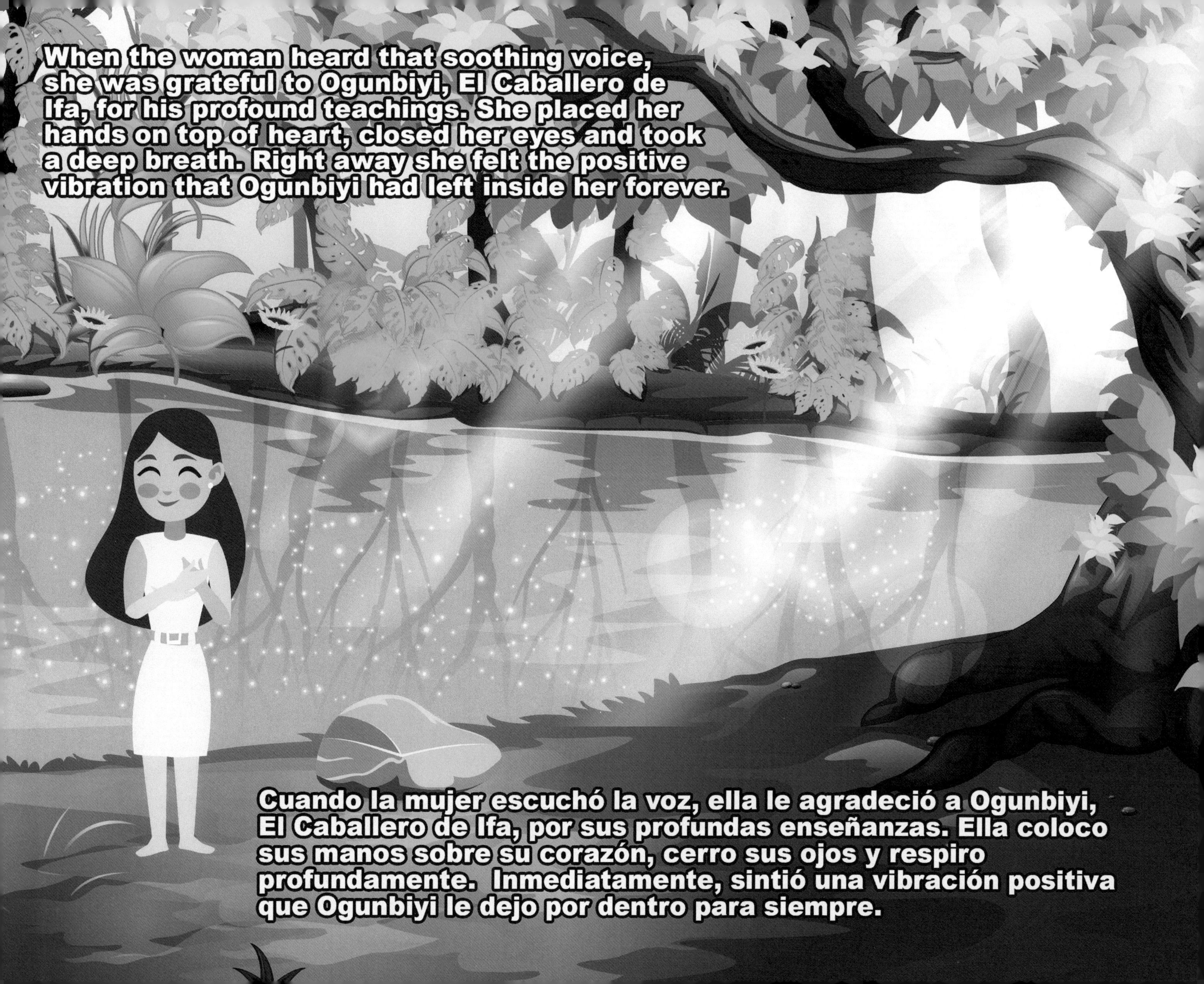

When the woman heard that soothing voice, she was grateful to Ogunbiyi, El Caballero de Ifa, for his profound teachings. She placed her hands on top of heart, closed her eyes and took a deep breath. Right away she felt the positive vibration that Ogunbiyi had left inside her forever.

Cuando la mujer escuchó la voz, ella le agradeció a Ogunbiyi, El Caballero de Ifa, por sus profundas enseñanzas. Ella coloco sus manos sobre su corazón, cerro sus ojos y respiro profundamente. Inmediatamente, sintió una vibración positiva que Ogunbiyi le dejo por dentro para siempre.

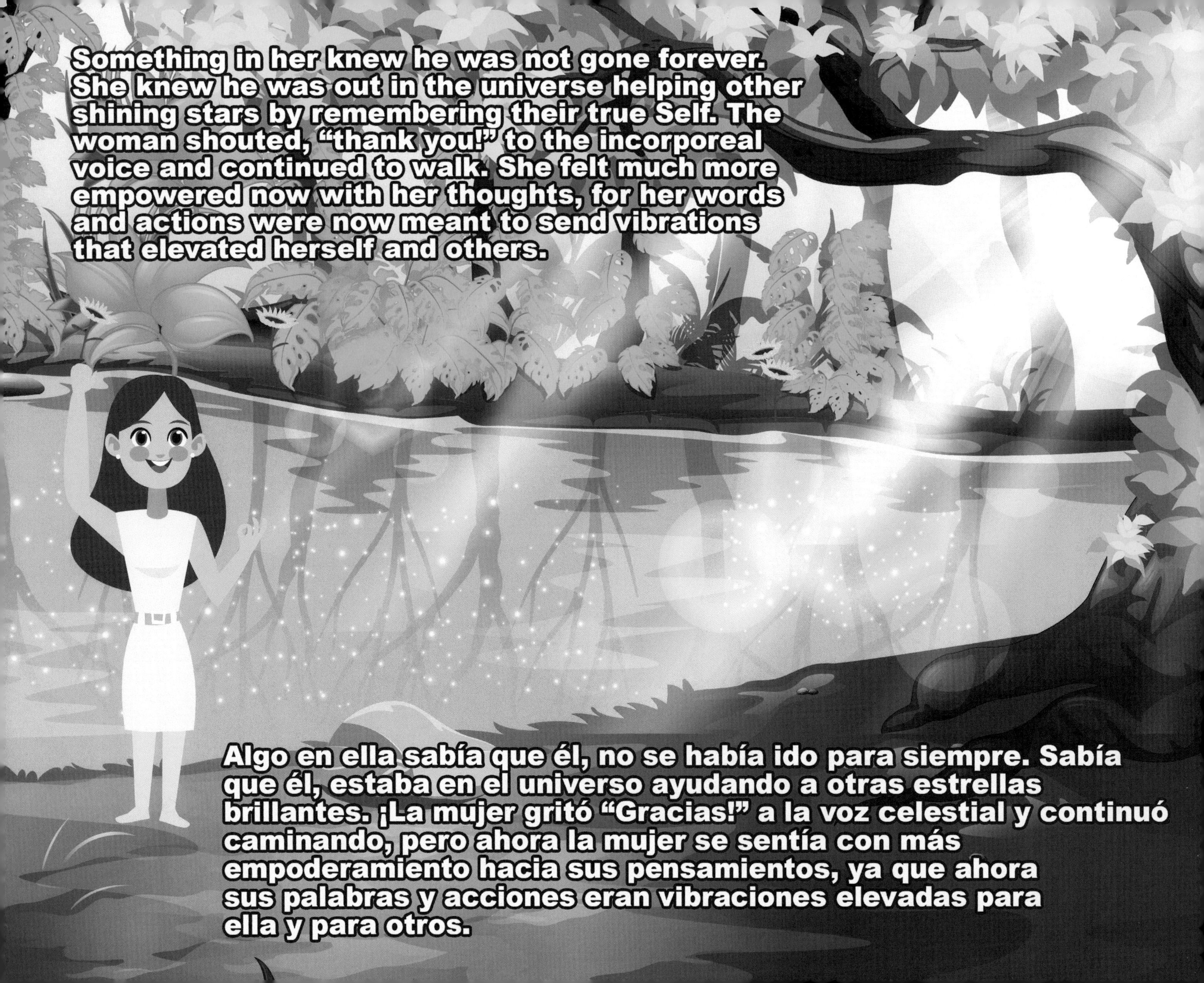

Something in her knew he was not gone forever. She knew he was out in the universe helping other shining stars by remembering their true Self. The woman shouted, “thank you!” to the incorporeal voice and continued to walk. She felt much more empowered now with her thoughts, for her words and actions were now meant to send vibrations that elevated herself and others.

Algo en ella sabía que él, no se había ido para siempre. Sabía que él, estaba en el universo ayudando a otras estrellas brillantes. ¡La mujer gritó “Gracias!” a la voz celestial y continuó caminando, pero ahora la mujer se sentía con más empoderamiento hacia sus pensamientos, ya que ahora sus palabras y acciones eran vibraciones elevadas para ella y para otros.

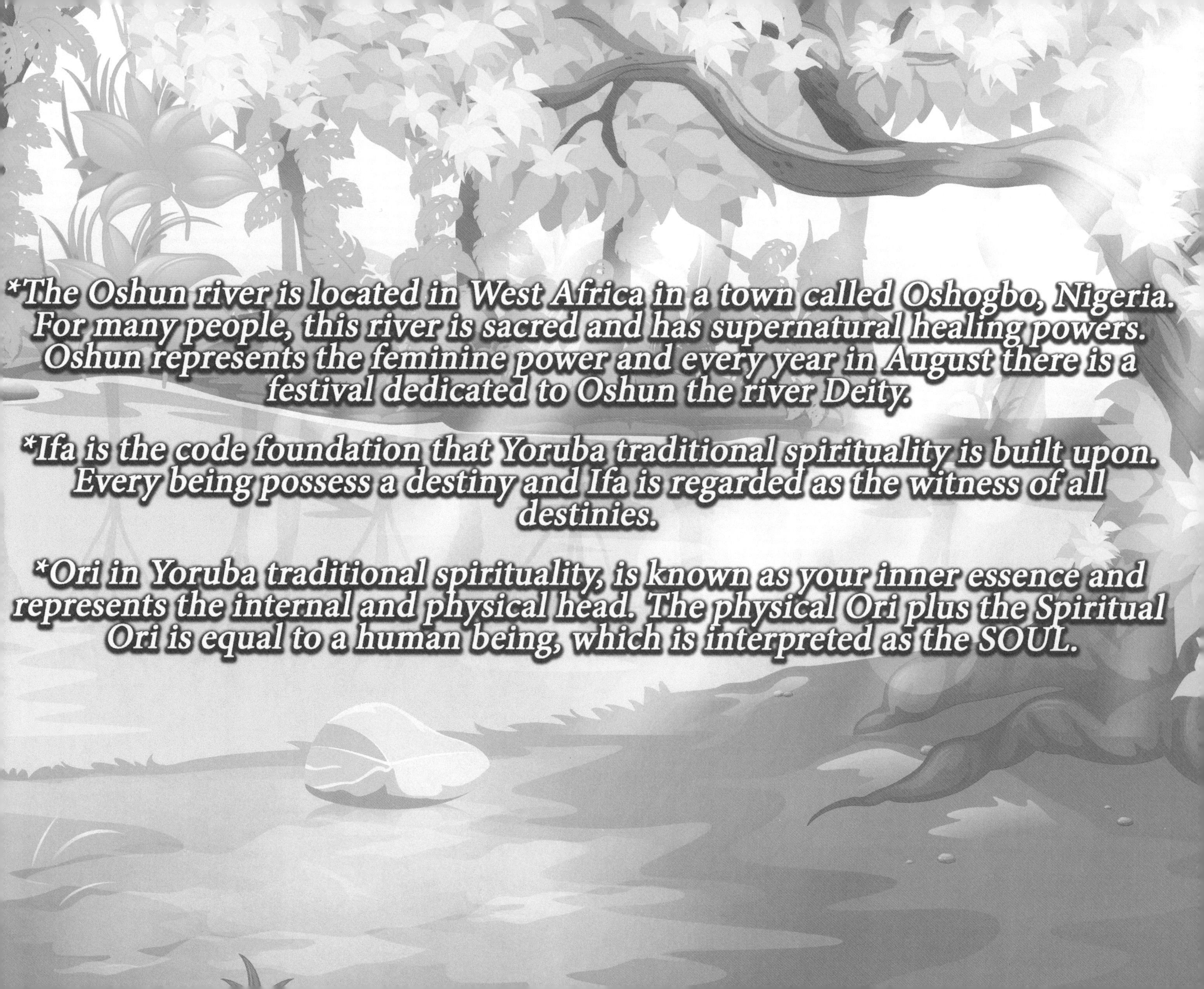

*The Oshun river is located in West Africa in a town called Oshogbo, Nigeria. For many people, this river is sacred and has supernatural healing powers. Oshun represents the feminine power and every year in August there is a festival dedicated to Oshun the river Deity.

*Ifa is the code foundation that Yoruba traditional spirituality is built upon. Every being possess a destiny and Ifa is regarded as the witness of all destinies.

*Ori in Yoruba traditional spirituality, is known as your inner essence and represents the internal and physical head. The physical Ori plus the Spiritual Ori is equal to a human being, which is interpreted as the SOUL.

*El río de Oshun está ubicado en el oeste de Africa en una ciudad llamada Oshogbo en el país de Nigeria. Para mucha gente, el río Oshun es sagrado y tiene poderes curativos supernaturales. Oshun representa el poder femenino y cada año en el mes de Agosto se lleva acabo un festival dedicado a Oshun la deidad del Río.

*Ifa es el código fundamental que construye la espiritualidad tradicional, Yoruba. Todo ser posee un destino. Ifa es considerado como el testigo de todos los destinos.

*Ori en la espiritualidad tradicional Yoruba se conoce como tu esencia interior y representa la cabeza interna y física. El Ori físico mas el Ori espiritual es igual a un ser humano, lo cual se interpreta como el ALMA.

CPSIA information can be obtained at www.ICGtesting.com
Printed in the USA
BVIW122310040819
555063BV00014B/155